D1129649

La fée Chaussette

Texte : **Sophie Rondeau**
Pour Adèle, ma petite fée frisée.

Illustrations : **Fil et Julie**
Pour Myriam la fée.

Tu connais sûrement la fée des Dents, la fée Clochette et la fée des Étoiles. Mais connais-tu leur sœur cadette, la fée Chaussette ? La marraine fée l'a prénommée ainsi parce qu'elle est née avec des bas aux pieds. Et personne n'a jamais pu les lui enlever. Elle hurlait dès qu'on essayait d'y toucher !

Josée
Xavier
~~Charles~~
Jérémie
~~Sylvie~~
Claudine

Manon
~~Roger~~
Sylvain
Marjo
Sim

Contrairement à ses sœurs, Chaussette n'a pas encore trouvé sa vocation. Elle passe donc toutes ses journées à la maison, à inventer mille plaisanteries. Pour s'amuser, elle épie la fée des Étoiles qui dresse la liste des enfants sages de la planète. Dès que sa sœur a le dos tourné, Chaussette s'empare de la liste de noms et y glisse ceux de plusieurs polissons.

Comme la fée des Dents s'absente souvent, il est très facile pour Chaussette de lui jouer de mauvais tours. La nuit, pendant que sa sœur ratisse le ciel, Chaussette se lève et se faufile en cachette dans sa chambre. La joueuse de tours colorie les dents que sa sœur collectionne. Le blanc, c'est beaucoup trop ennuyant !

Mais ce que Chaussette préfère par-dessus tout, c'est jouer des tours à la fée Clochette lorsqu'elle s'enferme dans son atelier pour préparer sa poudre magique qui fait voler. Chaussette entre sans frapper et éternue pour faire sursauter Clochette, qui échappe à tous coups ses éprouvettes.

La poudre magique envahit toute la maison, et Chaussette rit
de voir s'envoler les meubles du salon.

Mais les taquineries ne peuvent continuer ainsi.

Pour occuper sa sœur, la fée des Dents l'invite à ses cours de vol synchronisé.

La fée Clochette lui offre de faire des emplettes.

Et la fée des Étoiles lui prête ses livres d'astronomie.

Mais rien n'y fait, Chaussette s'ennuie.

La marraine fée, qui sait à quel point
Chaussette aime les bas, lui en donne tout
un sac à repriser, en lui disant :
— Ça occupera tes dix doigts !

Avec la pratique, la petite fée devient une artiste de l'aiguille ! Un matin qu'elle n'est pas tout à fait réveillée, Chaussette répare un collant bleu avec du fil de laine rouge.

— Comme c'est rigolo ! s'exclame la marraine fée qui passait par là.

Cette folie met Chaussette en appétit. Sur un bas, elle coud une fermeture éclair et, sur un autre, des boutons à l'envers !

Mais la réserve de chaussettes vient à s'épuiser. La fée a beau fouiller dans les tiroirs de ses sœurs, elle ne trouve plus aucun bas troué. Pendant quelques jours, elle tourne en rond dans le salon. La fée des Dents vient alors lui parler.

— Pourquoi n'irais-tu pas à la chasse aux chaussettes dans d'autres maisons ? lui suggère-t-elle.

— Comme c'est brillant ! répond la petite fée en applaudissant.

La fée des Étoiles enseigne à sa cadette l'art de se glisser dans les cheminées. Elle a appris tous ses trucs de son grand ami le père Noël. Le soir même, Chaussette s'introduit en catimini dans les maisons du quartier. Elle fouine dans tous les coins. Quand elle repère un bas égaré, elle l'attrape et le fourre dans son sac.

Au milieu de la nuit, lorsqu'elle rentre chez elle avec son butin, Chaussette s'assoit sur le tapis et aligne toutes ses trouvailles. Elle les classe par couleurs et par grandeurs. Elle enjolive soigneusement les bas unis d'un ruban ou de quelques brillants. Puis la petite fée répare ceux qui sont troués en choisissant des fils aux couleurs les plus gaies.

La petite fée s'empresse de rapporter les bas à leurs propriétaires avant le lever du jour.

Et pour ajouter un peu de piquant, elle dépose ses cadeaux à des endroits inattendus : sur la tablette du frigo, dans les poches d'un manteau, sous le bol du chien et même dans le bain !

Ce que Chaussette préfère par-dessus tout, c'est observer par
la fenêtre les enfants qui découvrent leurs nouveaux bas...
Lorsqu'elle les voit rire aux éclats, elle sait qu'elle a rempli sa
mission ! Les chaussettes sont si belles sur tous ces petits pieds
que la fée n'a qu'une envie : recommencer !

Catalogage avant publication
de Bibliothèque et Archives nationales du Québec
et Bibliothèque et Archives Canada

Rondeau, Sophie, 1977-

La fée Chaussette

(Mes premières histoires)
Pour enfants de 3 à 5 ans.

ISBN 978-2-89608-095-3

I. Fil, 1974- . II. Julie, 1975- . III. Titre.
IV. Collection : Mes premières histoires (Éditions Imagine).

PS8635.O52F43 2011 jC843'.6 C2011-941343-4
PS9635.O52F43 2011

Graphisme : David Design

Dépôt légal : 2011
Bibliothèque nationale du Québec
Bibliothèque nationale du Canada

Les éditions Imagine
4446, boul. Saint-Laurent, 7e étage
Montréal (Québec) H2W 1Z5
Courriel : info@editionsimagine.com
Site Internet : www.editionsimagine.com

Tous nos livres sont imprimés au Québec.
10 9 8 7 6 5 4 3 2 1

Gouvernement du Québec – Programme de crédit d'impôt
pour l'édition de livres – Gestion SODEC.

Nous reconnaissons l'aide financière du gouvernement
du Canada par l'entremise du Fonds du livre du Canada
pour nos activités d'édition.

Nous remercions le Conseil des Arts du Canada
de l'aide accordée à notre programme de publication.

Programme d'aide aux entreprises du livre et de l'édition
spécialisée de la SODEC.